argot
scargot

Barnabé
le scarabée

MW00364718

Mireille
l'abeille

César
le lézard

Luce
la puce

éonard
e têtard

Merlin
le merle

Oscar
le cafard

Lorette
la pâquerette

Luna
la petite ourse

Camille
la chenille

Solange
la mésange

Cyprien
le chien

Adrien
le lapin

Loulou
le pou

Prosper
le hamster

Grace
la limace

Ursule
la libelulle

Gabriel le
lutin de Noël

Benjamin
le Père Noël
du jardin

Georges le
rouge-gorge

Lulu
la tortue

théo
le mulot

Gallimard Jeunesse/Giboulées
Sous la direction de Colline Faure-Poirée
et Hélène Quinquin
Direction artistique : Syndo Tidori
Édition : Patricia Guédot
© Gallimard Jeunesse 1997
© Gallimard Jeunesse 2017 pour la nouvelle édition
ISBN : 978-2-07-507494-0
Premier dépôt légal : octobre 1997
Dépôt légal : octobre 2017
Numéro d'édition : 326955
Loi n° 49956 du 16 juillet 1949 sur
les publications destinées à la jeunesse
Imprimé en France par Pollina - 81915C

Les drôles de petites bêtes

Huguette la guêpe

Antoon Krings

Gallimard Jeunesse Giboulées

Comme chaque année, Huguette la guêpe attendait avec impatience le retour des beaux jours et des grosses bêtes qui venaient pique-niquer dans les jardins et se rafraîchir aux terrasses des buvettes. Alors, il fallait la voir tournoyer au-dessus des tables, piquer droit dans les assiettes pour se goinfrer de glace chantilly et de choux à la crème, entre deux rasades de limonade.

Elle y mettait tellement d’entrain qu’on se demandait comment une guêpe si gourmande pouvait garder une taille aussi fine. Sans doute avait-elle suivi, la coquette, un régime très strict en hiver. Ce qui expliquait son caractère quelque peu irritable, car, sachez-le, trop de privations rendent souvent les guêpes irascibles.

En tout cas, l'été, Huguette s'en donnait
à cœur joie et, malgré sa petitesse, savait
qu'elle faisait très peur aux grosses bêtes :
« Il suffit que je me pose sur un nez et presque
aussitôt c'est la panique. Ils font des gestes
désespérés avant même que je les pique.
Écoutez-les crier, regardez-les se tortiller,
vraiment il n'y a rien de plus comique. »

Seulement la vie d'Huguette n'était pas sans danger. Plus d'une fois, elle faillit finir écrabouillée sous un magazine ou noyée dans un verre de sirop. Mais ce jour-là, ça se passait au fond d'une bouteille d'orangeade. Notre guêpe y prenait un bain sucré quand soudain quelqu'un cria : « Ah la sale bête ! »

Et une main s’empara de la bouteille
et la jeta aussi loin qu’elle put. Plouf,
dans l’étang! Au bout d’un moment,
la bouteille remonta à la surface, mais
l’étang était si large qu’Huguette se
crut perdue au milieu de l’océan.

Entraînée par le courant, la bouteille dériva de plus en plus loin vers les nénuphars et passa en flottant devant la maison d'Ursule qui, fort heureusement, la remarqua. « Décidément ils jettent n'importe quoi : c'est honteux ! » maugréa la libellule, qui tentait de saisir la bouteille à l'aide de son balai.

Presque aussitôt de fortes secousses agitèrent le balai. « Une guêpe ! s'écria Ursule en tirant de toutes ses forces sur le manche. Va-t'en, je n'aime pas les guêpes. » Et pendant qu'elle essayait de la chasser, Huguette enfin libre sifflait d'un ton moqueur : « Bzz, vieille fille, bzz, vieille fille ! »

Puis elle s'en fut sans dire au revoir et
vola droit vers le jardin le plus proche.
Là, elle se laissa tomber, fatiguée,
affamée, sur une rose. C'était le rosier
de Mireille.
– Vous ne savez pas lire ? s'écria l'abeille
furieuse. C'est une propriété privée et
il est interdit de s'allonger sur les fleurs.

– Oh, ça va, ça va ! Ce n'est pas une petite chose boudinée avec des rayures qui va me dire où je dois me poser, riposta Huguette.
Mireille fut si surprise de cette réplique qu'elle resta bouche bée. Puis elle poussa un profond soupir et, d'une voix que les sanglots étouffaient déjà, répéta :
– Boudinée, boudinée, c'est vrai ? Je suis vraiment boudinée ?

– Allons, à quoi bon pleurer ? dit avec sévérité Huguette. Vous feriez bien de surveiller un peu votre ligne. Ce n'est pas sorcier : admirez comme ma taille est fine ! Eh bien, si les guêpes sont ainsi faites, c'est parce qu'elles ont un secret…

Mireille mourait d'envie de connaître ce secret.
Elle invita Huguette et s'empressa de lui dire :
« Vous verrez, dans ma maison ce ne sont pas
les provisions qui manquent ! »
Et voilà comment notre guêpe passa tout l'été
dans le jardin des petites bêtes, à manger
le miel de Mireille, à séduire ses voisins et à...
piquer les fesses des lutins.

Quant au fameux secret, Mireille eut beau le savoir par cœur, elle resta toujours aussi ronde, ce qui l'attrista un certain temps. Mais, entre nous, une abeille avec une taille de guêpe ne serait plus tout à fait une abeille.

Marie
la fourmi

Louis
le papillon
de nuit

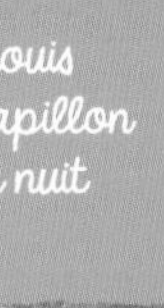

Frédéric
le moustique

Antonin
le poussin

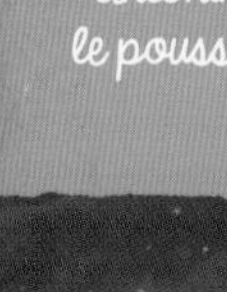

Juliette
la rainette

Odilon
le grillon

Pasca
la ciga

Valérie la
chauve-souris

Benjamin
le lutin

Patouch
la mouche

Adèle
la sauterelle

Siméon
le papillon

Henri
le canari

Nora petit r
de l'Opéra

Noémie
princesse
fourmi

Gaston
le caneton

Victor
le castor

Pierrot
le moineau

Édouard
le loir

Pat
le mille-pattes

Belle
la coccinelle

Bob le
bonhomme
de neige

Blaise
et thérèse
les punaises

Maud
la taupe